まちごとチャイナ
浙江省 009

普陀山
「海天仏国」と舟山群島
［モノクロノートブック版］

JN121899

寧波沖合いの東海に浮かぶ舟山群島の一角に位置する普陀山。小さな島に観音菩薩像を安置する大小の寺院が立ちならぶ観音の霊場で、中国四大仏教聖地のひとつと知られてきた。

　この普陀山は唐代の858年、遣唐使として海を渡った恵鍔が日本に帰国しようとする際、観音菩薩をまつることで開山された。南洋、北洋、日本に通じて中国商人、航海者たち

の寄港地となり、同時に舟山群島は倭寇や海賊の根拠地でもあった。

　信仰の中心地、商業の要地、海賊の棲家といった性格から、普陀山は破壊と再建を繰り返し、現在は多くの人がこの仏教聖地へ巡礼している。また普陀山の位置する舟山群島は中国最大の漁場でもあり、漁撈生活に根ざした独特の海民文化が残っている。

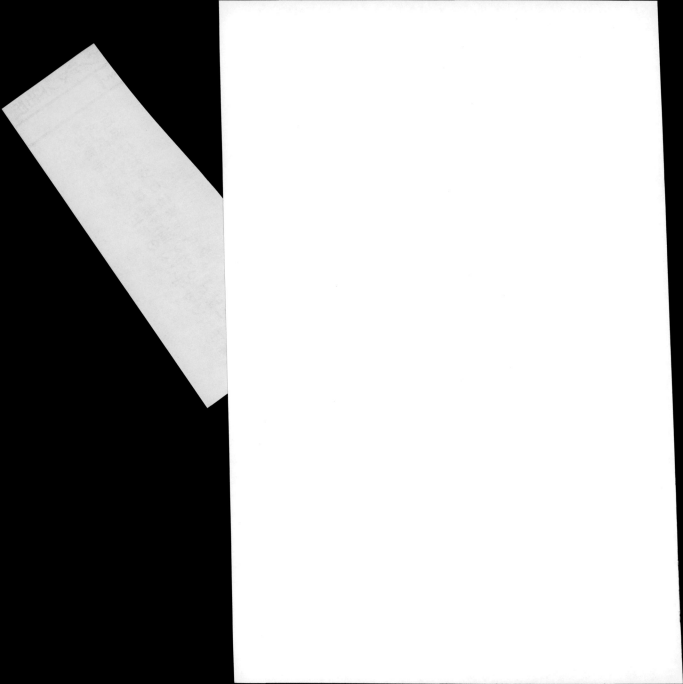

Asia City Guide Production
Zhejiang 009

Putuoshan

普陀山／pǔ tuó shān／プウトゥオシャン

| まちごとチャイナ | 浙江省 009 |

普陀山

「海天仏国」と舟山群島

「アジア城市（まち）案内」制作委員会
まちごとパブリッシング

Contents

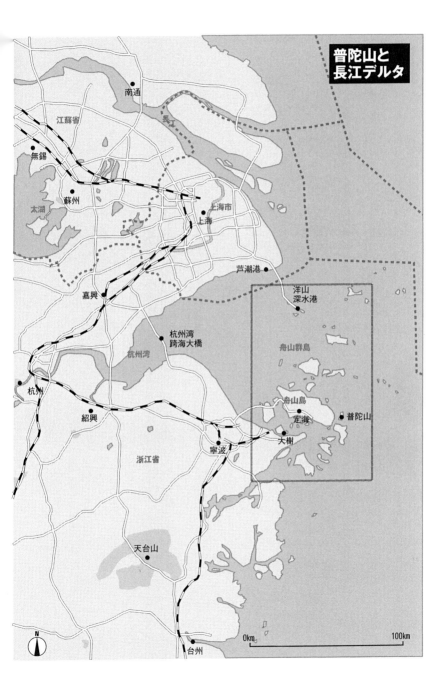

普陀山と
長江デルタ

南通

江蘇省

無錫

長江

蘇州

太湖

上海市

上海

嘉興

芦潮港

洋山
深水港

杭州湾
跨海大橋

舟山群島

杭州湾

杭州

舟山島

紹興

定海

普陀山

寧波

大樹

浙江省

天台山

N

0km　　　　　　　　100km

台州

Introduction

観音の霊場普陀山へ

寧波の沖合いに浮かぶ1390もの群島
そのうちのひとつ普陀山は中国仏教を代表する聖地
普陀山への巡礼を「朝海」と呼んだ

普陀山の地形と構成

　舟山群島で最大面積の舟山島から東5kmに浮かぶ普陀山。東西3.5km、南北8.6kmで、それほど大きな島ではないが、海へ伸びる岬、荒波を受ける断崖、砂浜など地形は変化に富む。面積(12.8平方キロメートル)のわりに最高峰は291mと高く、緑が多いことから地下水に恵まれている(古くは漢方の材料となる薬草が自生していた)。858年、島南東部の潮音洞あたりが恵鍔の上陸した普陀山発祥の地で、島中央南部の普済禅寺(前寺)、その北側の法雨寺(後寺)、最高峰の仏頂山に立つ慧済寺を三大寺院とする。普陀山周囲の東海は、長江や銭塘江といった河川の土砂によって、黄色く濁った海水となっている。

中国四大仏教聖地

　観音菩薩(水)の霊場にあたる「普陀山」は、文殊菩薩(地)の「五台山」、普賢菩薩(火)の「峨眉山」、地蔵菩薩(風)の「九華山」とともに中国四大仏教聖地にあげられる。唐代に開山され、杭州に都がおかれた南宋(1127～1279年)時代に島すべての寺院が禅寺となって仏教聖地という性格が確立された。かつて、この島では肉食、飲酒、喫煙などが禁じられ、女性は

入山することができないほどだったという。清代、700あまりの漁民を島外に移住させて以来、僧侶だけが暮らす聖域だったが、20世紀に入って龍湾に漁師も暮らすようになった。大小30あまりの寺院のほとんどが観音菩薩をまつり、観音ゆかりの洞窟や岩なども多い。「震旦第一仏国」「海天仏国」「南海仏国」「海上蓬莱」などさまざまな言葉でたたえられ、海と山と空に彩られた美しい景観をもつことから、「四大名山の冠」とされる。

普陀山という名前

普陀山という名前は、インドのサンスクリット語「Potalaka（ポタラカ）」を音写したもので、「普陀山」以外にも、「補陀落山」「宝陀山」などさまざまな漢字があてられてきた。「Potalaka（ポタラカ）」とは南インドにあるという観音菩薩の住まいをさし、普陀山同様にチベットのポタラ宮もこの言葉をルーツとする（ダライ・ラマは観音菩薩の生まれ変わりとされる）。本来、サンスクリット語の「Potalaka（ポタラカ）」は「白い花が咲く山」を意味することから、普陀山は白華山と呼ばれたこともあった。また「Potalaka（ポタラカ）」を「普陀洛伽山」とし、「普陀山」と普陀山東に浮かぶ「洛伽山」の二島で「普陀洛伽山」を構成するとも考えられている。

普陀山のかんたんな歴史

新石器時代から舟山群島に人が暮らし、越王勾践の時代（紀元前5世紀ごろ）にはこのあたりの海に漁に出る漁民が定住していたという。秦代の文人安期が隠居して丹薬をつくり、続く漢代にも梅福が豊かな自然のこの地で仙薬を調合したと伝えられる。仏教が中国全土に広まるなかの唐代（858年）、日本人仏教僧の恵鍔が五台山で手に入れた観音像を安置したことで普陀山は開山された。南宋の1131年、寺院のすべて

普済禅寺、法雨寺、慧済寺が普陀山三大寺院

不肯去観音院あたりに日本僧恵鍔は上陸した

法雨寺の九龍観音殿、南京明故宮の宮殿が遷された

マリンスポーツをする人

普陀山

0km　　　　　　　　　　　　　　　2km

宝陀
講寺

万仏
宝塔

ケーブルカー

普陀山北

慧済寺

法爾寺

法雨寺

梵音洞

仏頂山路

千歩沙

普済路

普済禅寺

百歩沙

二亀
聴法石

普済
禅寺

普陀山南

紫竹路　南港観音大仏

普陀山港

南海
観音大仏

N

が禅宗寺院となり、仏教聖地化も進んだ。明代、舟山群島に倭寇や海賊の根拠地がおかれたため、普陀山の僧侶や住民は内陸部へ移され、以後、普陀山は破壊と再興を繰り返した（また明清交代期には、北京から離れた舟山に南明政権の拠点があった）。清朝末期から中華民国時代にも普陀山は大いに栄え、上海や寧波からの航路の開通もあって、巡礼客のほかリゾート目的で多くの人が訪れるようになった。1966〜76年の文化大革命では壊滅状態となったが、再び、復興が進んで現在にいたる。

★★★
南海観音大仏／南海观音大佛 ナァンハイグゥアンインダアフウ
普済禅寺／普济禅寺 プウジイチァンスウ
法雨寺／法雨寺 ファアユウスウ
慧済寺／慧济寺 フゥイジイスウ

★★☆
百歩沙／百步沙 バイブウシャア

★☆☆
普陀山港／普陀山码头 プウトゥオシャンマアトウ
二亀聴法石／二龟听法石 アアグイティンファンシイ
千歩沙／千步沙 チェンブウシャア
梵音洞／梵音洞 ファンインドォン
万仏宝塔／万佛宝塔 ワンフウバァオタア
宝陀講寺／宝陀讲寺 バァオトゥオジィアンスウ

Pu Tuo Shan Nan
普陀山南鑑賞案内

普陀山への入口にあたる島の南岸
普陀山発祥の潮音洞や
美しいたたずまいを見せる南海観音大仏が立つ

普陀山港／普陀山码头★☆☆
pǔ tuó shān mǎ tóu
ふださんこう／プウトゥオシャンマアトウ

　普陀山と各地を結ぶ港は、深水の好条件をもつ島の南側にあり、このあたりは宋代から船が停泊する港となっていた(唐代、恵鍔は現在の港東側の潮音洞あたりから上陸した)。明代には、寧波三江口と普陀山を往復するツアーが組まれていたと言われ、片道で半日ほどかかった行き帰りの船の駄賃と食事をふくめて1銭だったという。寧波からの船のほか、上海方面からの船もあり、そうした状況は現在まで続いている。清代、大挙する巡礼団に対応するため、普陀山側は港で帳簿をつけて入山記録をとり、巡礼先を普済禅寺(前寺)と宝雨寺(後寺)とにふりわけたという。

海岸牌坊／海岸牌坊★☆☆
hǎi àn pái fāng
かいがんはいぼう／ハァイアンパァイファン

　普陀山南側の碼頭付近の巨岩に立つ海岸牌坊。普陀山への門の役割を果たすこの牌坊は、清朝第5代雍正帝時代(18世紀)に建てられ、現在のものは1911年に再建された(第4代康熙帝時代に海禁令がとかれ、その後、普陀山への巡礼が本格化した)。高さ9m、幅8m、三間からなる海岸牌坊は、緑の屋根瓦を載せる。

普陀山南

N

六礁路

法雨路

千歩沙

仏頂山路

大乗庵

悦嶺庵 朝陽洞

仙人井

百歩沙

普済禅寺

普済禅寺

普済路

心字石

西天景区

磐陀石

梅岑路

紫竹路

潮音洞

龍湾村

不肯去観音院

南海観音大仏

普済路

普陀山港 (客運碼頭)

海岸牌坊

短姑道頭

南天門

南海観音大仏

新羅礁

0km 1km

中央に「南海聖境」の扁額がかかげられ、「同登彼岸」の文字が刻まれている。

短姑道頭／短姑道头 ★☆☆
duǎn gū dào tóu
たんこどうとう／ドゥアングウダオトォウ

　　短姑道頭は現在の港がつくられる以前の古い港で、1731年に建設された。短姑道頭という名前は、普陀山へ巡礼に来た若い娘が生理になり、入山できないまま船で待っていると、その娘のために観音の化身が食べものをもってここに現れたという伝説にちなむ。また短姑道頭にならぶように、巨岩でできた門の南天門が位置する。

龍湾村／龙湾村 ★☆☆
lóng wān cūn
りゅうわんそん／ロォンワンチュン

　　普陀山南側の龍湾そばに位置する龍湾村。1949年の新中国建国にあたって普陀山南20kmの蝦崎島より人びとが移住し、龍湾村に住居を構えた（清代以降、僧侶以外の住民は他の島への移動を命じられ、僧侶のみが暮らす島だった）。漁業を営む漁師のほ

★★★
南海観音大仏／南海观音大佛 ナァンハイグゥアンインダアフウ
普済禅寺／普济禅寺 プウジイチァンスウ

★★☆
不肯去観音院／不肯去观音院 ブウカァンチュウグゥアンインユゥエン

潮音洞／潮音洞 チャオインドォン

百歩沙／百步沙 バァイブウシャア

★☆☆
普陀山港／普陀山码头 プウトゥオシャンマアトゥ

海岸牌坊／海岸牌坊 ハァイアンバァイファン

短姑道頭／短姑道头 ドゥアングウダオトォウ

龍湾村／龙湾村 ロォンワンチュン

新羅礁／新罗礁 シィンルゥオジィアオ

心字石／心字石 シィンツウシイ

磐陀石／磐陀石 バァントゥオシイ

千歩沙／千步沙 チエンブウシャア

か、ホテル、レストランなどの観光業に従事する人も見られる。

不肯去観音院／不肯去观音院★★☆
bù kěn qù guān yīn yuàn
ふこうきょかんのんいん／ブウカァンチュウグゥアンインユゥエン

　唐代の中国を訪れた日本の僧侶恵鍔が五台山で手に入れ、日本にもち帰ろうとした観音像にちなむ不肯去観音院。恵鍔が中国を離れようとすると、天候や自然が邪魔したことから、恵鍔は普陀山に上陸して民家に観音像をまつり、「不肯去観音院(行かざるの観音)」と名づけられた。この不肯去観音院は海にのぞむ崖のうえにあったため参詣に不便で、宋代以降、普済禅寺が島の中心寺院となった。現在の不肯去観音院は、「恵鍔ゆかりの観音院がこのあたりにあった」という言い伝えから再建された小さな寺院で1980年に完成した(恵鍔の観音像がまつられているわけではない)。赤紫色をした石が点在していたことから、あたりは紫竹林と呼ばれ、明代建立の紫竹林禅院(聴音庵)のなかに不肯去観音院は立つ。

不肯去 (いかざるの) 観音

　恵鍔は遣唐使(7~9世紀)として数度入唐し、日本の檀林皇后からの宝幡や袈裟を五台山に届けたり、唐の仏教僧を日本に招聘している。この恵鍔が858年、五台山の観音像を勧請し、寧波から船で日本に帰ろうとして普陀山にさしかかった。すると恵鍔の船は強風に見舞われて進めなくなり、普陀山に身を寄せた。順風を待って船を出したものの、濃霧があたりをつつんだり、海中から鉄の蓮華が無数現れ、船はいずれも進めなくなった。これは「普陀山にとどまりたい」という観音さまの意思だと察した恵鍔は、普陀山に上陸して島民の張氏の家に観音像をまつった。これが不肯去観音院のはじまりで、現在、恵鍔が普陀山に観音像を安置するま

普陀山港、寧波や上海との航路がある

普陀山の客運ターミナルのにぎわい

不肯去観音院へ通じる参道

どこまでも続く水平線、空と海が交わる

南海観音大仏

普済禅寺 ●

路岑梅

普済禅寺

百歩沙

天福路

普済路

龍湾村

潮音洞 ●
抗倭石刻
捨身禁止
の石刻

不肯去
観音院

紫竹路

龍湾

普陀山港

観音跳 ●

南海
観音大仏 ●

新羅礁 ●

南天門 ●

0km   1km

N

での縁起を描いた浮き彫りが見られる。この恵鍔の縁起譚にちなんで、普陀山近くの海域は蓮花洋と呼ばれ、鉄の蓮華はイルカではなかったか？　とも推測されている。

潮音洞／潮音洞★★☆
cháo yīn dòng
ちょうおんどう／チャオインドォン

　普陀山南東に伸びる岬の断崖に残る潮音洞。858年、恵鍔の船が向かったという普陀山はじまりの場であり、観音菩薩が現れると信じられている(当時、インド僧が潮音洞の前で庵を結んで観音菩薩をまつっていたという)。高さ8m、幅3mほどの洞窟で、打ち寄せる波しぶきと岩がぶつかる音が響くことから潮音洞と名づけられた。南宋宰相の史浩が1148年に普陀山に参詣したときに、ここで「観音が姿を現す」霊験を目のあたりにし、仏教聖地普陀山の地位が高まった。その後も1515年、南京で資金をつのった僧侶が潮音洞近くに寺院を建てるなど、観音信仰の霊場となっていた。また観音菩薩に会うことを願って、潮音洞で捨身、燃指(生命を捧げる)する信者が絶えず、清代建立の捨身を禁止する石刻も残っている。

★★★
南海観音大仏／南海观音大佛 ナァンハイグゥアンインダアフウ
普済禅寺／普济禅寺 プウジイチァンスウ
★★☆
不肯去観音院／不肯去观音院 ブウカァンチュウグゥアンインユゥエン
潮音洞／潮音洞 チャオインドォン
百歩沙／百步沙 バァイブウシャア
★☆☆
観音跳／观音跳 グゥアンインティアオ
新羅礁／新罗礁 シィンルゥオジィアオ
龍湾村／龙湾村 ロォンワンチュン
抗倭石刻／抗倭石刻 カァンウォシイカァ
普陀山港／普陀山码头 ブウトゥオシャンマアトウ

人びとを救済する観音菩薩に願いを託す

捨身行も行なわれたという潮音洞近く

金色に輝く南海観音大仏

海の守り神として観音は信仰を集めた

抗倭石刻／抗倭石刻 ★☆☆
kàng wō shí kè
こうわせっこく／カァンウォシイカァ

　潮音洞のそばに立つ高さ3.8mの抗倭石刻。一度は倭寇に敗れたものの、その後、倭寇を討伐した明軍の将によって1553年、建てられた（明代、倭寇は舟山群島を根拠地にして中国沿岸部を荒らしていた）。

南海観音大仏／南海观音大佛 ★★★
nán hǎi guān yīn dà fú
なんかいかんのんだいぶつ／ナァンハイグゥアンインダアフウ

　「普陀山発祥の地」とも言える岬の龍湾崗に立つ南海観音大仏。普陀山が文革で破壊をこうむり、再興が進んだ1997年に普陀山な新たなシンボルとして建てられた。「人びとの声を観じて、救済する」という観音菩薩はインドで生まれ、中国に伝わって以後の唐代ごろから女性の姿で表わされるようになった。この南海観音大仏の高さは18m、蓮台の高さ2m、座基13mで下から頂点までは33mとなる。金色に輝く観音大仏は、右掌を外側に向けて肩あたりにあげる「施無畏印」のポーズをとっている。

観音跳／观音跳 ★☆☆
guān yīn tiào
かんのんちょう／グゥアンインティアオ

　観音跳は南海観音からさらに先の岬先端部に残る巨大な岩石。観音菩薩が洛伽山から普陀山に飛んできて足跡を残した場所とされる（普陀山と洛伽山が観音の棲む普陀洛伽山を構成する）。観音跳海石とも呼ばれ、ここから観音信仰が極度に達した「捨身」が行なわれたという。

新羅礁／新罗礁 ★☆☆

xīn luó jiāo

しんらしょう／シィンルゥオジィアオ

　　普陀山南の荒々しい岩礁海岸が続く岬に浮かぶ新羅礁。
12世紀、新羅商人が観音像を船に乗せて帰国しようとした
とき、日本僧恵鍔と同様のことが起こった（観音さまが普陀山か
ら離れるのをこばんだ）。当時、このあたりの岩礁は船着場だっ
たところで、新羅礁という名前は以上の故事にちなむ。

普済禅寺鑑賞案内

普陀山でもっとも大きく
もっとも由緒正しい寺院の普済禅寺
絶え間なく巡礼者が訪れる聖域

普済禅寺／普済禅寺★★★
pǔ jì chán sì
ふさいぜんじ／プウジイチァンスウ

　普済禅寺は恵鍔のまつった観音像を安置してきた普陀山を代表する寺院で、島全体の10分の1近くをしめる伽藍規模をもつ。北宋の1080年、普陀山発祥の不肯去観音院のあとに建てられたのがはじまりで、皇帝から宝陀観音寺という名をたまわった。1131年、普済禅寺をふくむ普陀山のすべての寺院が禅寺となり、やがて1214年にすべての寺院が観音像を本尊とした(南宋は五山十刹を定めて禅寺を保護下におき、その過程で仏教聖地普陀山が整えられていった)。元末から明代にかけて普陀山は、倭寇の侵攻を受け、普済禅寺に安置された仏像が寧波側の招宝山へ遷されるということもあった。現在の普済禅寺伽藍は海禁が解除された清代の1689年から再建されたもので、1699年に普済禅寺という寺名になった。この寺の北側にある法雨寺(後寺)に対して、前寺とも呼ばれる。

普済禅寺の伽藍

　霊鷲峰南麓に展開する普済禅寺の伽藍は、山門から、弥勒仏をまつる天王殿、そして本殿にあたる大圓通宝殿へと続く(大圓通宝殿の奥には蔵経楼、法丈がならぶ)。そこへいたる参道に

普済禅寺

法雨寺へ

N

仏頂山路

百歩沙

方丈

蔵経楼

普済禅寺

大圓通宝殿

普済路

天王殿

鐘楼

鼓楼

山門

御碑亭

多宝塔院

梅今路

西天
風景区へ

天福路

0m   200m

南海観音
大仏へ

は海印池(蓮花池)、雍正帝の書いた御碑亭、「観自在菩薩」の巨大な文字が見える菩薩壁が見え、軸線上の左右に鼓楼と鐘楼が配されている。大圓通宝殿は高さ21m、横47m、奥行き29mの規模で「100人はいっても広すぎず、1000人はいっても狭すぎず」と設計されているという。高さ6.5mの観音菩薩像を本尊とし、そのまわりにさまざまな姿となって現れた33体の観音菩薩の応現身(観音像)が配置されている。また左右配殿には、文殊菩薩と普賢菩薩がそれぞれまつってある。

多宝塔院／多宝塔院★★☆

duō bǎo tǎ yuàn

たほうとういん／ドゥオバオタアユュエン

　普済禅寺の南東に立つ高さ18mの多宝塔院。現存する普陀山でもっとも古い人工建築で、元代の1335年に建立された。元の宣譲王によって建造されたことから、太子塔ともいう。方形の五層塔からなり、上部の三層に仏像が安置されている。

破壊と、再興と

　14〜17世紀、舟山群島には東海を荒らす倭寇たちが拠点をおいたことから、明や清といった王朝は舟山群島に暮らす住民をすべて内陸部に移住させて、倭寇を経済的に締めつけようとした。そのため普陀山の僧や仏像もたびたび内陸部に遷され、倭寇がおさまるたびに普陀山が再興されるということが続いた。1368年の明建国後も、反明勢力が舟

★★★
普済禅寺／普済禅寺 プウジイチャンスウ
★★☆
多宝塔院／多宝塔院 ドゥオバオタアユュエン
百歩沙／百歩沙 バァイブウシャア

山群島を根城として活動していたため、朱元璋は湯和に命じて普陀山の寺院を破壊して、仏像はみな寧波の七塔寺へ遷された（その後、万暦年間に復興された）。また北京の勢力がおよびにくい立地から、明清交代期には南明政権の拠点がおかれ、混乱のなか、普陀山から日本へ多くの仏像が渡ったという。やがて後期倭寇が跋扈すると、1655年、清朝は普陀山の島民を内陸部に移住させ、1671年には仏僧も寧波に遷された。現在の普陀山は清朝の支配体制が固まって以後に再興が進み、その後も文化大革命の嵐に巻き込まれるなど、普陀山では700年に渡って破壊と信仰への思いが交錯してきた。

百歩沙／百歩沙★★☆

bǎi bù shā

ひゃくほさ／バァイブウシャア

　普済禅寺の東側に広がる砂浜の美しい百歩沙。近くには朝日を眺めるのに適した朝陽洞、仙人井などが残る。

普陀山に現存する元代の建築、多宝塔院

女性の姿をした観音さま、普陀山を離れるのをこばんでこの地にまつられたのがはじまり

皇帝にのみ許された黄色の屋根瓦でふかれた大圓通宝殿

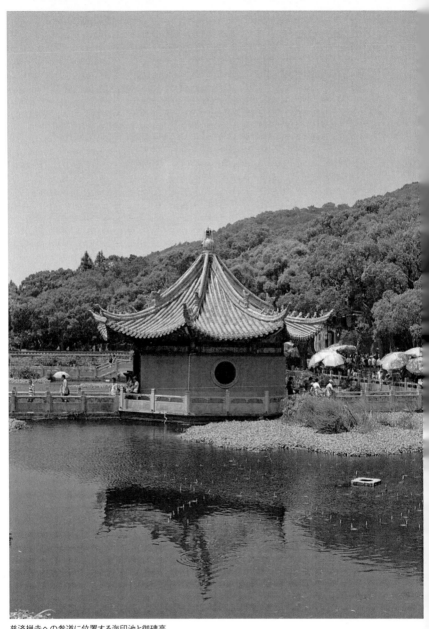

普済禅寺への参道に位置する海印池と御碑亭

海天佛國

雲間俟繼高書

□□安雲塵敬刻
乙丑秋

西天景区鑑賞案内

**普済禅寺西の西天門から伸びる山道
心字石から梅福庵、磐陀石、二亀聴法石
へと続く一帯は西天風景区と呼ばれる**

心字石／心字石★☆☆

xīn zì shí
しんじせき／シィンツゥシイ

巨大な岩石に朱文字で「心」と描かれた心字石。観音菩薩が蛇の背中にカエルを乗せてその心を試したが、蛇は動かず、カエルを食べなかった。この蛇の身体にあわせるように「心」の文字としたのが心字石だいう伝承が残る。心字石のうえでは、100人の僧侶が坐禅できるという。

梅福庵／梅福庵★☆☆

méi fú ān
めいふくあん／メイフウアン

漢成帝(在位前32〜前7年)の時代、南昌の官吏だった梅福が隠居したという場所に立つ梅福庵。漢方に通じていた梅福は、煉丹洞に暮らしながら、丹薬をつくって漁民に薬をあたえた。死後、梅福をまつる塑像が煉丹洞に安置され、漁民たちは感謝の念をこめて島の名前を梅岑山としたという。梅福庵はこの煉丹洞そばに再建されたもので、梅福の塑像がまつられている。梅福にちなむ梅岑山から、やがて観音信仰の普陀山と呼ばれるようになった。

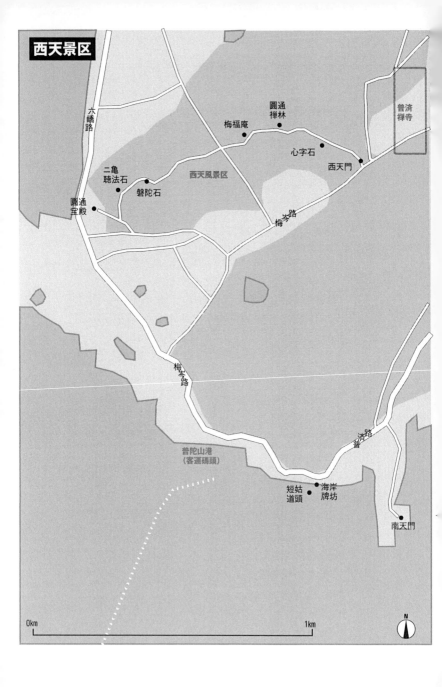

西天景区

六縒路

普済禅寺

圓通禅林

梅福庵

心字石

西天門

二亀
聴法石

西天風景区

磐陀石

圓通
宝殿

梅岑路

梅岑路

普陀山港
（客運碼頭）

短姑
道頭

海岸
牌坊

普済路

南天門

0km　　　　　　　　　　　　　　　　　　　　1km

N

磐陀石／磐陀石 ★☆☆

pán tuó shí

ばんだせき／パァントゥオシイ

　不安定なかたちをした岩石が丘陵上に載る磐陀石。今にもくずれそうで、磐陀石としたの岩石は1か所のみでつながっている。これまで、このふたつの岩のすき間に紐を通すことも試みられたが、誰もそれができなかったという。

二亀聴法石／二龟听法石 ★☆☆

èr guī tīng fǎ shí

にきちょうほうせき／アアグイティンファンシイ

　普陀山南西部に残る、二匹の亀のかたちをした岩石の二亀聴法石。観音の説法を聴きに海からやってきた二匹の亀がそのまま石になったと伝えられる。

★★★

普済禅寺／普济禅寺 プウジイチァンスウ

★☆☆

心字石／心字石 シィンツゥシイ

梅福庵／梅福庵 メイフウアン

磐陀石／磐陀石 パァントゥオシイ

二亀聴法石／二龟听法石 アアグイティンファンシイ

普陀山港／普陀山码头 プウトゥオシャンマアトウ

海岸牌坊／海岸牌坊 ハァイアンパァイファン

短姑道頭／短姑道头 ドゥアングウダオトウ

美しい砂浜からリゾート地としても人気が高い

磐陀石ポスター、客運ターミナルにて

西方廣目天王

普陀山北鑑賞案内

普済禅寺にならぶ名刹の法雨寺
背後の仏頂山は島の最高峰で
慧済寺が立つ

千歩沙／千歩沙★☆☆
qiān bù shā
せんほさ／チエンブウシャア

　普陀山の東岸を南北に走る普陀山最大の砂浜の千歩沙(長さ1750m)。波が寄せてはかえす美しい砂浜で、朝日のさしこむ朝陽洞、1000もの文物をおさめる悦嶺庵、大涅槃仏がまつられた大乗庵などが位置する。この千歩沙のもっとも北側の地点に法雨寺が立つ。

法雨寺／法雨寺★★★
fǎ yǔ sì
ほううじ／ファアユウスウ

　法雨寺は普陀山三大寺院の一角をしめ、前寺の普済禅寺に対して、その後方に位置する後寺(法雨寺)とも呼ばれる。明代の1580年に創建されたときは「海潮庵(海の潮が聴こえる庵)」と言い、いっとき荒廃したのち、清朝康熙帝の南巡にあたって1699年に再興された。そのとき、康熙帝から「天花法雨(天に花開き、法の雨ふる)」の額をあたえられ、以後、法雨寺と呼ばれるようになった。山門から山の地形にあわせて上方に伽藍が連なり、天王殿、玉仏殿、九龍観音殿、御碑殿、大雄宝殿、方丈殿、印光法師記念堂が軸線上にならぶ。なかでも天王殿に向かって立つ九龍壁(当初、三龍壁であったが、1988年に

0km 3km

N

宝陀
講寺

万仏
宝塔

索道
山下駅

海天路

慧済寺

索道
山上駅

法雨寺

仏頂山路

法雨寺

善財洞

楊枝庵

法音路

梵音洞

法雨路

千歩沙

大乗庵

悦嶺庵

朝陽洞

梅福庵

普済
禅寺

心字石 普済禅寺

普陀山北

再建されて九龍壁となった）、インドを訪れた普陀山の仏僧慧根がもち帰ったビルマ製の釈迦牟尼像をまつる玉仏殿、美しい装飾天井をもつ九龍観音殿などが特筆される。

南京から遷された装飾天井

　清朝建国後も、反清復明をかかげて海上を拠点とした鄭成功（1624〜62年）の一族。第4代康熙帝の時代、鄭氏が清朝に恭順すると、康熙帝は海禁令をといて普陀山の復興を進めた（1665年、法雨寺は鄭成功に台湾を追われたオランダに焼かれて廃墟になったという経緯もある）。1699年、法雨寺の修復にあたって、明皇帝の住居だった南京故宮の宮殿を解体、普陀山法雨寺に遷された。それが九龍観音殿で、天井には皇帝を象徴する極数9にちなむ九龍が見える（1匹の龍を8匹の龍が囲み、尾をからめている）。

楊枝庵／杨枝庵★☆☆
yáng zhī ān
ようしあん／ヤァンチイアン

　普陀山三宝のひとつ楊枝観音画像碑が残る楊枝庵。唐の画家、閻立本による大観音図像碑は高さ2.34m、幅1.33mになり、楊柳の枝と浄瓶をもつ観音が描かれている（古代インド

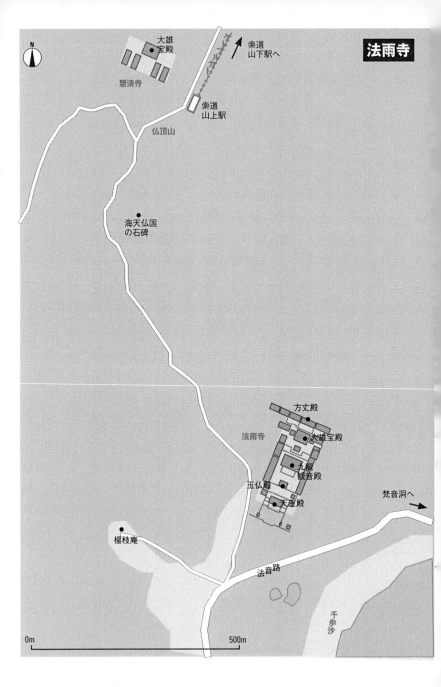

法雨寺

N

大雄
宝殿

慧済寺

索道
山下駅へ

ルル ル

索道
山上駅

仏頂山

海天仏国
の石碑

方丈殿

法雨寺

大雄宝殿

九龍
観音殿

玉仏殿

天王殿

梵音洞へ

楊枝庵

法音路

千歩沙

0m　　　　　　　　　　　500m

では、植物の枝で歯を綺麗にした)。これは明代、舟山の軍人だった劉炳文によって寄進されたもので、本殿に楊枝観音が安置されている。

慧済寺／慧済寺★★★
huì jì sì
えさいじ／フゥイジイスウ

標高291m、普陀山最高峰の仏頂山にそびえることから、仏頂山寺とも呼ばれる慧済寺。普済禅寺、法雨寺とならぶ普陀山の三大寺院のひとつで、山上の寺院に向かって1088段の階段が続いている。このあたりは茶畑(仏茶)が広がり、明代創建の小さな庵があるばかりだったが、清朝乾隆帝の1793年に寺院となり、光緒帝の1907年に現在の姿となった。九十九折の参道(龍道)をのぼっていくと、その折り返し点に「仏」「同登彼岸」「入三摩地」の文字が刻まれている(また慧済寺の南側には倭寇討伐した将の侯継高による「海天仏国」の文字が見える石が立つ)。天王殿、大雄宝殿、玉皇殿、斎楼と伽藍が続き、観音菩薩の霊場にあって、観音ではなく釈迦牟尼仏がまつられている。辛亥革命を成功させた孫文は1916年、軍艦に乗って舟山軍港を視察したのち、仏頂山にのぼってここからの景色をながめた。

梵音洞／梵音洞★☆☆
fàn yīn dòng
ぼんおんどう／ファンインドォン

普陀山北東の岬、高さ100mにもなる断崖絶壁の奥に残る梵音洞。波しぶきがふきあげ、深さ100mの洞窟は海へと通

★★★
法雨寺／法雨寺 ファアユウスウ
慧済寺／慧済寺 フゥイジイスウ

★☆☆
千歩沙／千歩沙 チエンブウシャア
楊枝庵／杨枝庵 ヤァンチイアン

じている。近くには、『華厳経』に記されている善財童子にちなむ善財洞も残る（『華厳経』のなかで善財童子は観音のいる普陀洛伽山を訪ねている）。かつて人びとは潮音洞で修行したが、梵音洞に場所を遷し、この地で観音を求めて修行するようになった。

万仏宝塔／万佛宝塔★☆☆
wàn fú bǎo tǎ
まんぶつほうとう／ワンフウバァオタア

仏頂山の北東側にそびえる高さ72m、九層からなる万仏宝塔。21世紀になって新たに建てられた仏塔で、美しい細身の塔身をもつ。

宝陀講寺／宝陀讲寺★☆☆
bǎo tuó jiǎng sì
ほうだこうじ／バァオトゥオジィアンスウ

普陀山の北端部に位置する宝陀講寺。普陀山三大寺院に続く寺として1999年に建てられ、天王殿、大圓通殿へと続く壮大な伽藍を見せる。仏殿ごとに黄色、青、緑といった鮮やかな瑠璃瓦で彩られている。

法雨寺に残る九龍壁、九匹の龍はすべてかたちが違う

前寺の普済禅寺に対して、法雨寺は後寺と呼ばれた

慧済寺の大雄宝殿ここから法雨寺まで歩ける距離

仏頂山に位置する慧済寺、山下からケーブルカーが伸びている

高さ72mの万仏宝塔

新たに島の北部に建てられた宝陀講寺

法雨寺の大雄宝殿、伽藍は丘陵にそって展開する

百歩沙から梵音洞を望む

Kannon Bosatsu
補陀洛山に棲む観音菩薩

観音とは悟りを開く前段階で
修行している人のこと
東アジア全域で信仰される神格

観音、インドから中国へ

観音という神格は、クシャン朝時代の1世紀ごろ、北西インドで生まれたとされ、大乗仏教で広く信仰されるようになった。「観音」という名称には、シヴァ神の異称である「イーシャ（主を観す）」が見られ、またイラン系民族であるクシャン朝の影響から、西アジアの女神の要素も備えているという。インドで大乗仏教が密教化すると、不空羂索観音、千転観音、千手観音、千眼観音といったさまざまな観音が生まれ、釈迦牟尼仏（ブッダ）、阿弥陀如来、弥勒菩薩とくらべても多くの彫像が彫られるようになった（千手観音はドゥルガー女神、馬頭観音はヴィシュヌ神を起源とするという）。多くの手や多くの目をもって「世間の人びとの声を観ずる」という観音菩薩の性格から、「病気の治癒」「仕事の成功」「子宝」を願う人びとを中心に中国や日本で広く信仰されるようになった。

観音信仰の広まり

観音信仰は大乗仏教とともに、中央アジアから中国へ伝わり、唐代ごろ、女性化された観音の姿が見られるようになった（12世紀以前成立の『妙善説話』以後、中国では女性の姿の観音が多くなったものの、実際は男性でも女性でもない）。当初、「観世音菩

薩」と言ったが、唐皇帝の李世民の「世」と重なるのをさける
ため、「観音菩薩」の名前が定着した。観音菩薩の浄土はイン
ド南端にあると言われ、中国では「南端」が「東端」におきか
えられて普陀山が観音の霊場とされた。3世紀に成立した
『華厳経』以来、観音は航海神という性格をもち、東晋時代に
インドを訪れた中国僧法顕（337年ごろ～422年ごろ）はスリラン
カからの帰途、海で襲われたが、観音に念じて難を逃れたと
いう。「人びとを救済する」という観音菩薩の性格から、船乗
りや漁民、貧者といった天候に左右される職業の人たちに
信仰されて現在にいたる。また仏教の航海神である観音に
対して、浙江南隣の福建では媽祖（道教）が航海神となり、い
ずれも女性の姿をした守護神となった。

日本の普陀山

　観音菩薩の棲家であるサンスクリット語の「Potalaka（ポタ
ラカ）」を音写した普陀洛迦山。このポタラカからチベットの
ポタラ宮や和歌山那智の補陀洛寺の名前がとられている。
また観音信仰の残る栃木日光山は古くは、「補陀洛山（はだら
さん）」と呼ばれ、それが「二荒山（ふたらさん）」「二荒山（にこうさ
ん）」「日光山（にっこうさん）」へと変化したという。ほかにも中
世日本では、和歌山那智の補陀洛寺の浜辺から、大海の南の
彼方にある観音の浄土（インド南部のポタラカや普陀山が想定され
ていた）へ渡るということが試みられた。それはわずかの食
料をもって木造船に乗り込む、死を覚悟した捨身行で、「補
陀落渡海」と呼ばれた。

舟山群島城市案内

島や岩礁とぶつかりあい
1日のあいだで何度も変わる潮や渦
船は海水の干満にあわせて港に入った

舟山島／舟山岛 ★☆☆
zhōu shān dǎo
しゅうざんとう／チョウシャンダァオ

　舟山群島で最大の島が舟山島で、東西45km、南北17kmから
なり、寧波沖合いをおおうように広がる(海南島、崇明島に続く面
積をもつ)。舟山という名前は、「島に山翼があり、舟の集まる
場所」だからだとも、船が普陀山で島となって「船からできた
た島」だからだともいう。舟山島では四方を海に囲まれ、人
びとは漁撈と農耕生活を送り、東側の沈家門は漁業が盛ん
で、西側は農耕が盛んといった地域差が見られ、その中心に
定海が位置する(また新石器時代にさかのぼる河姆渡文化の馬嶴遺跡
も残る)。イギリスは、1698年、短い期間、舟山に商館をおいた
り、1841年のアヘン戦争で軍事拠点をおくなど、早くから
この地の立地に注目していた。現在は橋で寧波とつながっ
て一体化が進み、漁業や塩業、観光業、海上運輸業などで特
徴がある。2011年より、舟山島を中心とする舟山群島は舟
山群島新区として、上海との距離、港湾や海洋を活かした開
発が進められている。

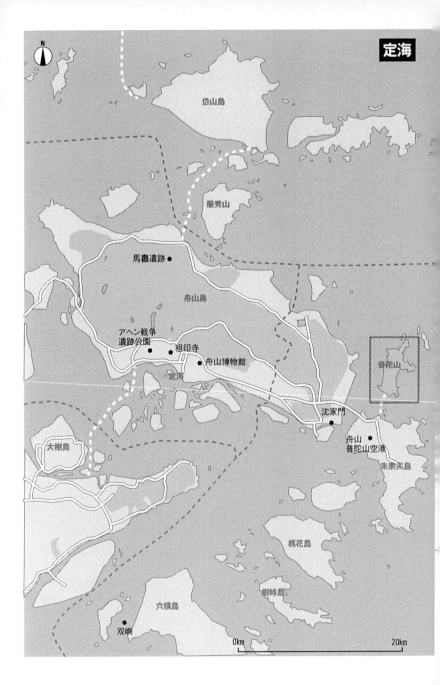

定海

N

岱山島

蘭秀山

馬鼻遺跡 ●

舟山島

アヘン戦争
遺跡公園 ● ● 祖印寺
　　　　　　● 舟山博物館
　定海

普陀山

沈家門 ●

大榭島

舟山
普陀山空港 ●
朱家尖島

桃花島

六横島
　　　　　　蝦崎島

双嶼 ●

0km　　　　　　　　　　　20km

定海／定海 ★☆☆
dìng hǎi
ていかい／ディンハァイ

定海は舟山島の行政拠点がおかれてきた舟山群島の中心地。清朝康熙帝時代、「動く舟(舟山)」から「静かな海」であること願って定海という名前になったという。寧波側と海をへだてて15kmほどの距離にあり、定海の前には多くの島々がこの街を守るように浮かんでいる。舟山群島の歴史を感じさせる祖印寺、舟山博物館、アヘン戦争遺址公園などが残り、現在では高層ビルも見られる。舟山の優れた港湾環境、上海、寧波との距離的優位をふまえた整備が進んでいる。

沈家門／沈家门 ★☆☆
chén jiā mén
しんかもん／チェンジィアメン

舟山島東端に位置する沈家門は、舟山群島を代表する漁業基地。海峡をはさんで対岸の朱家尖島を風よけとする天然の良港をもつ。舟山群島では潮流は激しいが中国最良の漁場で、黄花魚や太刀魚、蟹や蝦、鮫、クラゲなどが陸揚げされる。

舟山群島／舟山群岛 ★★☆
zhōu shān qún dǎo
しゅうざんぐんとう／チョウシャンチュンダァオ

上海と寧波の東の洋上に浮かぶことから「海中州」とも称され、中国最大の群島を構成する舟山群島。1390ある島

嶼のうち、有人島は100島に満たないが、港湾環境に適した
深水海岸線、中国最大の漁場をもつ(海岸線が複雑に走り、方国珍
や王直といった海賊は舟山群島に拠点をおいた)。舟山群島最大の島
で行政地のある「舟山島」、中国四大仏教聖地のひとつ「普陀
山」、生態公園に指定されている「朱家尖島」、倭寇の王直が
根拠地とした「金塘島」、六横島そばに浮かび、上海以前の国
際港であった「双嶼(リャンポー)」、かつては華山と呼ばれて
いた「桃花島」、方国珍以後に明朝へ反乱を起こした海賊た
ちが拠点とした「蘭秀山」、美しい砂浜の鹿欄晴沙が続く「岱
山」、上海洋山深水港にも近い「衢山島」、舟山群島北側に位
置する嵊泗列島の「泗礁島」など、島ごとに異なる文化をも
つと言われる。

洛迦山／洛迦山★☆☆
luò jiā shān
らくかさん／ルゥオジアシャン

　普陀山の東5kmに浮かぶ周囲2kmの洛迦山。普陀山ととも
に普陀洛伽山を構成し、サンスクリット語の「Potalaka(ポタ
ラカ)」のうち「Pota(ポタ)」が普陀山で、「laka(ラカ)」が洛迦山。
伝説では千手観音に変身するまでの三公主がこの島で修行
し、ここからひと跳びで普陀山に向かったという。港から大
覚禅院へと洛迦香道が伸びる。

双嶼／双屿★☆☆
shuāng yǔ
そうしょ／シュウアンユウ

　六横島の沖合いにあった小さな島の双嶼には、明代の16
世紀、中国人、ポルトガル人、琉球人をふくむ日本人、東南ア
ジア人などの海洋商人が集まる国際貿易港があった。1526
年、福建海商がここで密貿易をはじめ、絹や綿布など江南の
物資、日本の石見銀山から採掘された銀などが取引された。
明朝の管理を通さない海賊たちの密貿易拠点という性格と

港町の面影を見せる舟山群島の街並み

島から島へと航路で結ばれている

点在する島と入り組んだ入江は最高の漁場でもある

フェリーの便を待つ人たち

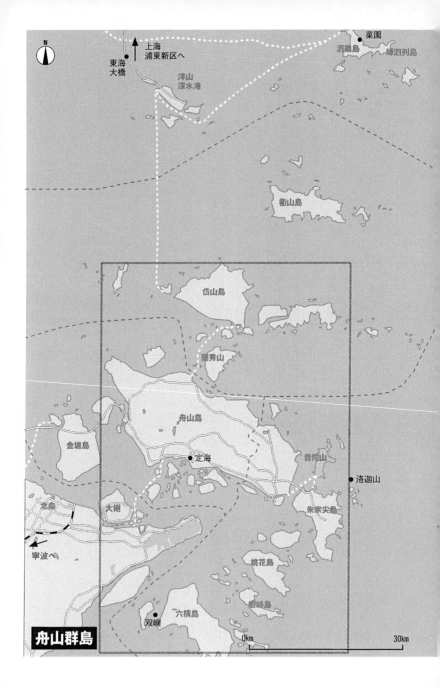

N

上海
浦東新区へ

東海
大橋

洋山
深水港

菜園

泗礁島

嵊泗列島

衢山島

岱山島

蘭秀山

舟山島

定海

金塘島

普陀山

洛迦山

北侖

大榭

朱家尖島

寧波へ

桃花島

蝦崎島

六横島

双嶼

舟山群島

0km   30km

は裏腹に、2万人の暮らすその繁栄は「上海以前の上海」のようだったという。とくに大航海時代(15〜17世紀)、喜望峰、マラッカ海峡をへて中国へ現れたポルトガルは、この双嶼を近くの寧波にちなんで「リャンポー」と呼び、植民都市と言える街づくりを進めていた(ポルトガル人市長がいて、庁舎、医院、教会などもあった)。こうした事態を重く見た明朝は、1548年、朱紈を派遣し、双嶼を壊滅させた。

ポルトガル人から鉄砲伝来

　双嶼や烈港などの舟山群島、東海をへだてた五島列島を拠点とし、中国、東南アジア、琉球、日本を自由に往来したのが倭寇の王直だった(中国ではほかに福建月港が海賊の拠点で、明朝の勢力がおよばない海上で倭寇たちは勢力をほこった)。ちょうど同じ時代(大航海時代)、1517年、中国の海上に現れたポルトガルは、中国人倭寇(海洋商人)に導かれて「双嶼(リャンポー)」に中国進出の足がかりを築いた。ピントの『東洋遍歴記』にも記されている通り、「双嶼(リャンポー)」から「種子島」への航路があり、1543年、倭寇王直の船に乗ってポルトガル人は日本に鉄砲(種子島)を伝えている。1548年、双嶼が明軍の攻撃を受けたことで、倭寇たちは離散し、中国からは海賊と見られていたポルトガル人は1557年に植民地マカオを獲得した。また明朝は海岸の住民を内陸地帯に移すことで、倭寇の経済源泉をたとうとし、胡宗憲の呼びかけに応じた倭寇王直は定海で投降したが、結局、1559年に処刑された。

★★☆
舟山群島／舟山群島 チョウシャンチュンダァオ
★☆☆
舟山島／舟山島 チョウシャンダァオ
定海／定海 ディンハァイ
洛迦山／洛迦山 ルゥオジィアシャン
双嶼／双屿 シュゥアンユゥ
嵊泗列島／嵊泗列島 シェンスウリエダァオ
洋山深水港／洋山深水港 ヤンシャンシェンシュイグァン

嵊泗列島／嵊泗列岛 ★☆☆

shèng sì liè dǎo
じょうしれっとう／シェンスウリエダァオ

　舟山群島の北部に点在する369の島々からなる嵊泗列島。中心は泗礁島の菜園で、観音菩薩をまつる大悲山霊音寺が残り、漁村生活を送る人びとの姿も見られる。かつて長江はこのあたりを河口部としたという。

洋山深水港／洋山深水港 ★☆☆

yáng shān shēn shuǐ gǎng
ようざんしんすいこう／ヤンシャンシェンシュイグァン

　上海浦東南の杭州湾洋上に浮かぶ洋山深水港。大型船が停泊できる水深を確保するため、小さな島々を削平して築かれた中国を代表する港湾。長さ32.5kmの東海大橋で上海と結ばれ、寧波北侖港、舟山港ともに世界有数の港湾群を構成する。

舟山群島は中国最大の群島
5000年以上前から続く漁撈文化は
東海を越えて日本につながっていた

舟山と漁業

　舟山群島は山東半島沖、珠江デルタとならんで中国三大漁場のひとつで、そのなかでも最大の漁場となっている（南海のほうが魚の種類は多いが、東海のほうが漁獲量が多い）。春は「キグチ(黄魚)」「コウイカ(墨魚)」、夏は「フーセイ(大黄魚)」、冬は「タチウオ(太刀魚)」というように、舟山群島では季節ごとに陸揚げされる魚が異なる。とくに「キグチ(黄魚)」は中国人にとってなじみ深い魚で、春秋戦国時代から親しまれていたという。「キグチ(黄魚)」や「フーセイ(大黄魚)」は繁殖期に水中音を出すため、漁師たちは海中に沈めた竹筒ごしにそれを聴いて網をはる。舟山の水産業では「塩づけにする」「割く」「干す」といった加工のほか、冷凍なども行なわれている。古くは、漁師は漁場の許可証を海賊団から購入したが、ある海賊団の許可証は別の海賊団には通じなかったという。

舟山の人びと、舟山の文化

　紀元前4500年ごろには舟山群島に人が暮らし、漁撈や農業生活を営んでいた。塩分をふくんだ土地から、人びとは海辺や遠洋に繰り出し、女性は漁師を支えるという独特の文化を有してきた。舟山群島の人びとは、網神、竜王、観音、

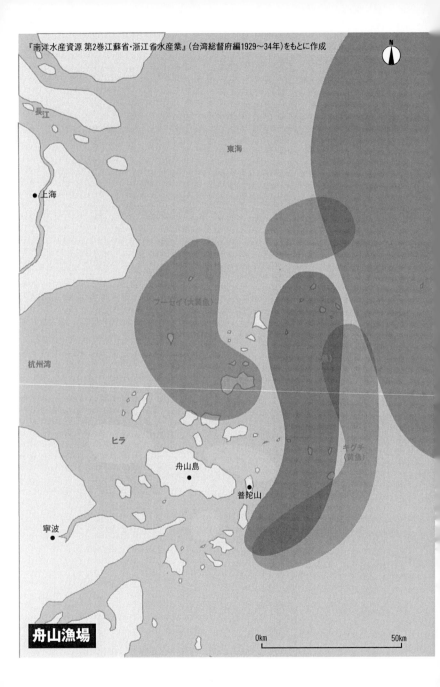

『南洋水産資源 第2巻江蘇省・浙江省水産業』（台湾総督府編1929～34年）をもとに作成

N

長江

東海

●上海

プーサイ（大黄魚）

杭州湾

ヒラ

キグチ（黄魚）

舟山島 ●

普陀山

●寧波

舟山漁場

0km   50km

媽祖、地方神など、自らの生活に根ざした信仰体系をもち、「舳先で排泄してはならない」「魚は頭から食べる」などの決まりがあるという。また明初に起こった蘭秀山の乱の残党が韓国済州島に逃れたり、倭寇王直は舟山群島と五島列島を自由に往来したりと、海を通じて中国とは異なる気風があった(東海を通じて日本のイタコ、韓国の巫堂のような共通のシャーマニズムが見られる)。現在は、この舟山群島の漁撈文化を体験する「漁家楽」というレジャーも盛んになってきている。

東海の寄港地普陀山

　中国から日本の九州へ続く東海を俯瞰すれば、普陀山は中国側からは寧波を出発した船が「最後に寄港できる港町」で、また五島列島を旅だった船が「一番最初に着く中国」にあたる。台風や暴風を避ける岬、飲料水の確保、北洋と南洋双方に通ずる立地といった観点から、普陀山は港として絶好の条件をもつ。また普陀山を中心に弧を描くと、「沖縄と済州島」「博多と広州、北京」はほぼ同心円状に位置し、東海各地から船の集まる普陀山や舟山では、航海の守り神として観音菩薩が信仰された。1526年、石見銀山が発見されると、日本から銀を運ぶ航路の重要性が高まり、海商、船乗り、使節などが普陀山に寄港した。船乗りたちは長江や銭塘江の吐き出す黄土色の海水を見て、中国に入ったと思ったといい、地勢上の重要性からかつて倭寇が根拠地とし、現在、舟山群島には中国海軍の基地がおかれている。

舟山群島と日本

　宋元(10〜14世紀)時代から1000年に渡って寧波が日本使節団や商人の窓口となっていた。普陀山は寧波と九州博多を結ぶ航路の寄港地だったことから、日本ゆかりの話も多く残っている。浙江台州生まれで、普陀山の僧侶だった一

山一寧は、元朝の使節として鎌倉幕府へと派遣され、やがて建長寺、円覚寺、南禅寺で住持をつとめた。また江戸時代の1841年、漂流した栄寿丸の乗組員善助はアメリカからマカオ、舟山、寧波へと護送され、舟山の様子を「この家での食物は米飯で、豚、鶏、蔬菜など醤油や味噌で調理してあり、ややわが国の食事に似ていた」と記している。

『中国東海の文化と日本』(川村湊/勉誠社)

『中国海洋漁業簡史』(張震東・楊金森/海外漁業協力財団)

『観音変容譚』(彌永信美/法藏館)

『明代萬暦年間における普陀山の復興』(石野一晴/東洋史研究)

『普陀山・寧波・天台山から杭州訪問記』(村上泰昭/史迹と美術)

『舟山群島における漁村女性の労働と自己認識の変化』(于洋/年報非文字資料研究)

『華北からの普陀山参詣』(石野一晴/富士ゼロックス小林節太郎記念基金編)

『「蘭秀山の乱」と東アジアの海域世界』(藤田明良/歴史学研究)

『南洋水産資源』(南洋協會臺灣支部/南洋協會臺灣支部)

『支那文化史蹟』(常盤大定・関野貞/法藏館)

『世界大百科事典』(平凡社)

OpenStreetMap

(C)OpenStreetMap contributors

普陀山／「海天仏国」と舟山群島

まちごとパブリッシングの旅行ガイド

Machigoto INDIA , Machigoto ASIA , Machigoto CHINA

マカオ-まちごとチャイナ

Juo-Mujin（電子書籍のみ）

自力旅游中国Tabisuru CHINA

普陀山と
長江デルタ

N

0km   100km

普陀山

0km　　　　　　　　　　　　　　　　　　2km

N

普陀山南

N

0km   1km

南海観音大仏

0km   1km

N

普済禅寺

N

0m 200m

西天景区

0km   1km

N

0km   3km

N

普陀山北

法雨寺

0m 500m

定海

0km　　　　　　　　　20km

N

舟山群島

0km   30km

【車輪はつばさ】
南インドのアイラヴァテシュワラ寺院には
建築本体に車輪がついていて
寺院に乗った神さまが
人びとの想いを運ぶと言います

An amazing stone wheel of the Airavatesvara Temple
in the town of Darasuram, near Kumbakonam in the South India

まちごとチャイナ
浙江省 009

普陀山
「海天仏国」と舟山群島
［モノクロノートブック版］

「アジア城市（まち）案内」制作委員会
まちごとパブリッシング
http://machigotopub.com

・本書はオンデマンド印刷で作成されています。
・本書の内容に関するご意見、お問い合わせは、発行元の
　まちごとパブリッシング info@machigotopub.com までお願いします。

まちごとチャイナ
新版 浙江省009普陀山
～「海天仏国」と舟山群島

2020年 8月15日　発行

著　者　　「アジア城市（まち）案内」制作委員会
発行者　　赤松　耕次
発行所　　まちごとパブリッシング株式会社
　　　　　〒181-0013　東京都三鷹市下連雀4-4-36
　　　　　URL http://www.machigotopub.com/
発売元　　株式会社デジタルパブリッシングサービス
　　　　　〒162-0812　東京都新宿区西五軒町11-13
　　　　　清水ビル3F
印刷・製本　株式会社デジタルパブリッシングサービス
　　　　　URL http://www.d-pub.co.jp/

MP277